Bienvenue
dans le monde des

Téa

Salut, c'est Téa, la sœur de Geronimo Stilton ! Je suis envoyée spéciale de *l'Écho du rongeur*, le journal le plus célèbre de l'île des Souris. J'adore les voyages et j'aime rencontrer des gens du monde entier, comme les Téa Sisters. Ce sont cinq amies vraiment épatantes. Je te les présente !

Paulina

Altruiste et solaire, elle aime voyager et fréquenter des gens de tous les pays. Elle a un réel talent pour la technologie et les ordinateurs !

Paméla

Mécanicienne accomplie : avec un tournevis, elle répare n'importe quoi ! Elle aime cuisiner, mais pourrait manger de la pizza midi et soir.

Colette

Elle a une vraie passion pour les vêtements et les accessoires, surtout roses ! Plus tard, elle aimerait devenir journaliste de mode.

Nicky

Originaire d'Australie, elle est passionnée par le sport, l'écologie et la nature. Elle aime vivre au grand air et ne tient pas en place !

Violet

Elle adore lire et apprendre sans cesse de nouvelles choses. Amatrice de musique classique, elle rêve de devenir un jour une grande violoniste !

Veux-tu devenir une Téa Sister ?

....

J'aime ....
....
....
....
....
....

Texte de Téa Stilton.
Coordination des textes de Chiara Richelmi *(Atlantyca S.p.A.)*.
Collaboration éditoriale de Carolina Capria *et* Mariella Martucci.
Coordination éditoriale de Patrizia Puricelli.
Édition de Viviana Donella.
Direction artistique de Iacopo Bruno.
Couverture de Caterina Giorgetti *(dessins) et* Daniele Verzini *(couleurs)*.
Conception graphique de Giovanna Ferraris / theWorldofDOT.
Illustrations des pages de début et de fin de Barbara Pellizzari *(dessins) et* Flavio Ferron *(couleurs)*.
Cartes de Caterina Giorgetti *(dessins) et* Flavio Ferron *(couleurs)*.
Illustrations intérieures de Valeria Brambilla *(dessins) et* Francesco Castelli *(couleurs)*.
Coordination artistique de Flavio Ferron.
Assistance artistique de Tommaso Valsecchi.
Graphisme de Marta Lorini.
*Basé sur une idée originale d'*Elisabetta Dami.
Traduction de Béatrice Didiot.

www.geronimostilton.com

Pour l'édition originale :
© 2014 et 2015, Edizioni Piemme S.p.A. – Palazzo Mondadori, Via Mondadori, 1 – 20090 Segrate, Italie
sous le titre *Cinque amiche in campo*
International rights © Atlantyca S.p.A. – Via Leopardi, 8 – 20123 Milan, Italie
www.atlantyca.com – contact : foreignrights@atlantyca.it
Pour l'édition française :
© 2017, Albin Michel Jeunesse – 22, rue Huyghens, 75014 Paris
Blog : albinmicheljeunesse.blogspot.com
Loi 49-956 du 16 juillet 1949 sur les publications destinées à la jeunesse
Dépôt légal : second semestre 2017
Numéro d'édition : 22508
Isbn-13 : 978 2 226 39415 6

Imprimé en France par Pollina s.a. en août 2017 - 81262

Téa Stilton

Cinq amies sur le TERRAIN

Albin Michel Jeunesse

À VOS MARQUES, PRÊTS... PRINTEMPS !

Le délicat parfum des roses embaumait le jardin du collège de Raxford et s'infiltrait dans les salles de classe à travers les fenêtres ouvertes.

Les journées s'allongeaient et l'air légèrement vif mettait tout le monde de bonne humeur.

Pas de doute : le PRINTEMPS approchait !

À grands pas… comprirent les Téa Sisters en interprétant un signe qui ne trompait pas.

Alors qu'elles étudiaient sous un arbre fleuri, Nicky referma son manuel de littérature et lança :

– Une petite PARTIE de beach-volley*?

Colette, Paulina, Paméla et Violet échangèrent

* *Version du volley-ball qui se joue sur une plage, avec des équipes de deux joueurs.*

un regard **COMPLICE** : quand leur amie proposait d'aller jouer à la plage, la belle saison était bel et bien là ! En effet, chaque année, quand l'HIVER touchait à sa fin, Nicky avait

une envie dévorante de faire du sport en plein air et d'entraîner ses camarades dans des excursions au cœur des plus beaux sites de l'**île des Baleines**.

– Je suis partante ! répondit Colette en se levant et en passant en bandoulière son sac rempli de livres. On en parle aux autres ?

Aussitôt dit, aussitôt fait : les Téa Sisters rameutèrent tous leurs copains, prirent un **BALLON** et se rendirent à la plage des Tortues, où le sable fin permettait de courir et sauter à volonté.

Ce jour-là, le **SOLEIL** brillait haut dans le ciel et la **mer** était parfaitement calme.

Que demander de mieux pour un premier match ?

Les étudiants retirèrent leurs chaussures, formèrent des équipes et commencèrent à jouer.

– **VICTOIRE !** triompha Paméla après avoir

marqué un point décisif. À votre disposition pour la REVANCHE !

– Compte sur nous ! s'exclama Craig. Mais que diriez-vous d'abandonner le beach-volley pour le *beach... soccer** ?

– Une partie de **foot sur la plage** ? considéra Nicky en se mettant à jongler avec le ballon. Pourquoi pas ?

– Pour moi, ce sera une **nouveauté**... commenta Paulina. Mais je brûle d'essayer : ce doit être amusant !

ET CE PREMIER MATCH FUT VRAIMENT EXALTANT !

Durant tout le trajet de retour, la petite bande ne parla que de ça.

* *Version du football qui se joue sur une plage, avec deux équipes de cinq joueurs.*

VAS-Y !
ALLEZ NICKY !
PASSE !
COMME ÇA !

– Et vous avez vu quand Ron a tiré son PENALTY ! rappela Pam. Un moment fantasouristique !

– La seule qui n'a pas marqué le moindre but, c'est moi... soupira Colette. D'autant que je n'ai pas réussi à garder le ballon plus de DIX SECONDES...

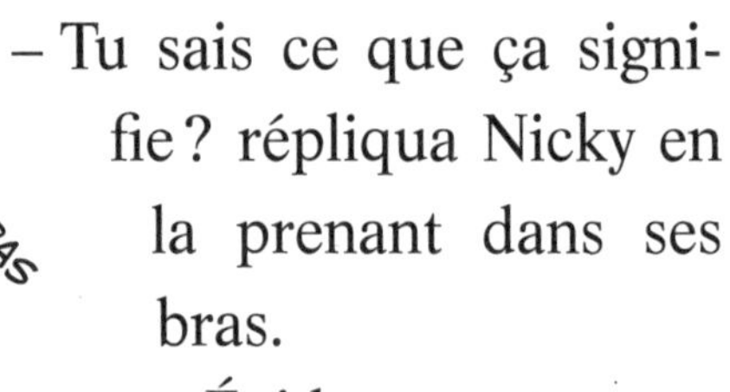

– Tu sais ce que ça signifie ? répliqua Nicky en la prenant dans ses bras.

– Évidemment : que le foot n'est pas fait pour moi !

– Non, répondit son amie en souriant. Ça veut simplement dire que tu as besoin d'un bon entraînement.

À partir de demain, nous jouerons tous les jours, et tu verras qu'au bout de quelques semaines tu deviendras une **footballeuse** épatante !

Rassurée, Colette se dérida et regarda Nicky avec gratitude : avec des **amies** comme les siennes, tout devenait possible !

Une nouvelle amie

À la belle saison, Nicky aimait conclure ses journées avec une séance d'**activité physique**. Après le dernier cours, elle se précipitait dans sa chambre, prenait un goûter léger, puis enfilait son survêtement et ses chaussures de sport et sortait COURIR dans la lumière du soir.
À son retour, elle prenait une douche, puis se préparait pour descendre dîner à la cantine avec ses camarades.
Ce jour-là, son programme était toutefois légèrement différent. Après son FOOTING, elle avait prévu non pas de remonter dans sa chambre, mais de retrouver ses amis au jardin

pour une dernière **partie de foot**, sur l'herbe cette fois.

Tout en sillonnant le parc à petites foulées, la jeune sportive ne cessait de consulter sa **MONTRE** pour ne pas être en retard à son rendez-vous. Résultat : elle ne vit pas l'autre jeune rongeuse qui arrivait à vive allure dans sa direction et… lui **RENTRA** dedans !

– Désolée ! bredouilla Nicky, embarrassée. J'ai dû être distraite...

– C'est plutôt à moi de m'excuser, répondit la rongeuse. Quand je cours, je me détends et j'oublie tout !

– Je connais ça ! répliqua Nicky.

Comme elle, l'inconnue devait être passionnée de sport. « Elle ferait une compagne d'entraînement idéale ! », songea la jeune fille.

– Au fait... je m'appelle Nicky !

– Et moi, Kelly ! Comme je suis nouvelle au collège, je ne connais pas encore grand monde, mais il me semble t'avoir déjà CROISÉE ici.

– C'est très probable : je viens tous les jours ! Peut-être, à l'occasion, pourrions-nous courir ensemble...

– Pourquoi pas maintenant ? proposa Kelly.

– Impossible, mes amis m'attendent pour un

match de foot. Mais tu peux te joindre à nous, si tu veux ! suggéra Nicky en **souriant**.

– Avec plaisir ! **J'adore le foot!**

Et dès que Kelly fut sur le terrain, tous purent constater qu'en plus de l'aimer elle y **excel-lait** !

Après avoir écarté, un à un, les adversaires qui tentaient de lui prendre le **BALLON**, elle s'avança dans la surface de réparation et marqua un but sans que Ron puisse l'en **empê-cher**.

– Quelque chose me dit que ce n'est pas la première fois que tu touches à un **ballon**, commenta malicieusement Paulina.

Bravo, Kelly !
Buuut !

GÉNIAL !
QUEL TIR !

Kelly rougit.

– En fait… c'est l'un de mes sports préférés…

– Dans ce cas, considère-toi comme invitée à toutes les PARTIES que nous organiserons à partir d'aujourd'hui !

C'EST D'ACCORD, LES AMIS ?

– Oui, tu es la bienvenue ! confirma Paulina.

– Certes, mais nous avons un **PROBLÈME**… annonça Paméla d'une voix grave.

– Lequel ? s'enquit Paulina, étonnée.

– Dans quel camp va jouer notre nouvelle recrue ? Après l'avoir vue à l'œuvre, tout le monde va la vouloir dans son ÉQUIPE ! expliqua Pam en éclatant de rire.

Entre-temps, Colette avait récupéré le ballon

et essayait de **JONGLER** avec, sans grand succès…
En entendant Pam, elle se figea et lança à Kelly, d’un ton amusé :
– Et qui sait si tu ne réussiras pas l’exploit de **m’apprendre** quelque chose ?

UN PIQUE-NIQUE ET UNE SURPRISE !

Rapidement, les Téa Sisters découvrirent que Kelly était non seulement une footballeuse remarquable, mais aussi une fille gentille et sympathique, dont tous appréciaient la compagnie.

Un jour, au cours d'un PIQUE-NIQUE sur la plage, les étudiants de Raxford apprirent une chose de plus à son propos, que la jeune fille n'avait révélé à PERSONNE.

– Aujourd'hui, quand madame Ratcliff t'a rendu ton DEVOIR, j'ai remarqué que tu portais le même nom qu'un **célèbre joueur de foot** anglais… lança Craig.

– Tiens, c'est vrai, confirma Nicky en se versant un verre d'**ORANGEADE**. Steve Hill est l'un des grands espoirs du moment… Tu vois qui c'est ?

La fierté se lut sur le visage de Kelly.

– Je vois qui c'est, oui, et je le connais bien : Steve est mon frère ! C'est lui qui m'a tout appris !

– Incroyable ! s'exclama Nicky. Voilà donc comment tu as pu atteindre un tel niveau : tu as eu un professeur hors pair !

– Vous êtes vraiment une famille de CHAMPIONS ! s'enthousiasma Paméla.

– Mon frère est un grand sportif, mais moi, non, rectifia Kelly. Moi, je me contente de taper dans le ballon pour mon plaisir, de temps à autre.

– Je ne suis pas une spécialiste, intervint Nicky, mais d'après ce que j'ai vu, tu es aussi douée que lui !

– Détrompe-toi, répliqua sa nouvelle amie. Je n'ai pas son talent : je ne deviendrai jamais une FOOTBALLEUSE PROFESSIONNELLE !
Colette ne put manquer de remarquer le changement intervenu sur le visage de Kelly : brusquement, sa mine s'était assombrie. Et l'espace d'un instant, ses yeux se mouillèrent…

UN PLAN PARFAIT... OU PRESQUE !

Immédiatement après la fin des cours, Colette gagna la rédaction du **journal** du collège pour travailler à son nouvel article de mode. Là, elle rencontra Tanja, qui la fit profiter avant tous les autres d'une nouvelle sensationnelle. Si sensationnelle que Colette convoqua en **URGENCE** une réunion des Téa Sisters dans sa chambre pour partager ce scoop avec ses amies.

Assise en tailleur au milieu du tapis, Violet demanda :

– Mais... tu en es sûre ?

– Tanja est une excellente journaliste, assura Colette, et elle m'a dit que dès demain la **NOUVELLE** serait dans tous les journaux : l'île des Baleines va accueillir un tournoi étudiant de **football féminin à huit** !

– Quel dommage que Kelly ne puisse pas y participer ! soupira Paulina. Elle est si douée et ce sport lui **plaît** tant…

– Qu'est-ce qui l'en empêche ? s'étonna Colette.

– Théoriquement, rien… reconnut Paulina, mais c'est une compétition étudiante et notre collège n'a pas d'équipe fém…

Voyant le petit sourire qui éclairait le visage de Colette, la jeune fille s'interrompit : elle venait de comprendre ce que son amie avait en tête.

– Tu veux que nous formions une ÉQUIPE pour que Kelly puisse disputer le tournoi ?

– Exactement ! répondit Colette, radieuse.

Depuis le jour du pique-nique, celle-ci ne cessait de revoir mentalement les yeux brillants de larmes de leur nouvelle amie, quand elle avait évoqué le TALENT qui, selon elle, lui faisait défaut. D'après Colette, la seule et unique chose qui lui manquait était un peu de **confiance en elle** !

– Je suis certaine qu'en participant à une vraie

compétition elle prendra conscience de sa valeur ! poursuivit-elle. Qu'en dites-vous ?
– Je dis que nous ne sommes que **cinq**... réfléchit tout haut Nicky. Mais Elly et Tanja seront sûrement ravies de se joindre à nous.
– Dès lors, il ne nous reste plus qu'à parler à notre **huitième recrue** pour savoir si elle est partante ! conclut Paulina.
Emballées, les cinq amies s'empressèrent d'aller trouver Kelly. Mais lorsqu'elles furent en face de la jeune fille, elles s'aperçurent que leur **PLAN**, qu'elles avaient cru parfait, n'était pas si facile à mettre en œuvre.
– Merci, les filles, commença la jeune Anglaise en gardant les **YEUX** baissés. Mais je ne veux disputer aucune sorte de tournoi ou de championnat.
– Pourquoi ça ? s'enquit Paméla, abasourdie.
– Parce que je ne suis pas aussi bonne que

vous le pensez, répondit Kelly en haussant les épaules. Je suis vraiment désolée, mais je ne peux pas faire partie de votre équipe…

Sur ces mots, la jeune fille se retourna et s'éloigna sans un mot.

– Et maintenant, qu'est-ce qu'on fait ? soupira Paméla.

Nicky regarda pensivement ses sœurs de cœur, puis déclara :

– Je ne sais pas, mais s'il est une chose que le sport m'a appris, c'est de ne pas reculer au premier obstacle !

– Très juste ! approuva Colette. Nous n'avons pas réussi à convaincre Kelly aujourd'hui, mais rien ne dit que nous n'y arriverons pas demain !

– Oh oh… Mauvaise nouvelle, les amies ! annonça Paulina en lisant ce qui s'AFFICHAIT

ET MAINTENANT ?
QUEL DOMMAGE !
ON NE PEUT PAS RENONCER !

sur l'écran de son téléphone portable. Sur le site du tournoi, il est écrit que l'enregistrement des équipes se termine aujourd'hui !

– Alors, nous n'avons pas le choix... trancha Colette. Nous devons nous inscrire sans elle !

PLACE AUX RAINBOW GIRLS !

Colette ne cessait de réfléchir à ce qui s'était passé. Le **PLAN** qu'elle avait imaginé pour faire jouer Kelly et lui donner confiance en elle lui semblait parfait et elle n'avait aucune intention de l'abandonner.

Mais comment **convaincre** leur nouvelle amie de faire partie de l'équipe ? Son refus avait été ***CATÉGORIQUE*** !

Colette n'avait pas envisagé une telle réaction, mais elle ne comptait pas baisser les bras.

Tout en se brossant les cheveux, elle se répéta :

– OnsecalmeOnsecalmeOnsecalme ! Tout problème a une solution, pour peu qu'on se montre optimiste et créatif !

Rassurée, elle décida de passer à l'action. Avant toute chose, elle devait trouver quelqu'un qui remplace momentanément Kelly au sein de l'équipe. Heureusement, l'affaire se révéla plus simple que prévu : dès que les autres étudiantes surent que les Téa Sisters cherchaient une HUITIÈME JOUEUSE pour le tournoi, Alicia se porta candidate.

Et ainsi, l'équipe de **football féminin** de Raxford put s'inscrire à temps.
Le plus gros était fait et, vu la manière dont les choses évoluaient, Colette n'avait pas le moindre doute : dès que Kelly aurait sous les yeux le spectacle de ses amies donnant le meilleur d'elles-mêmes sur le terrain, elle ne résisterait pas à l'envie de les rejoindre !
La nouvelle équipe se donna rendez-vous dans la salle de rédaction du journal pour programmer ses **entraînements** et mettre au point sa stratégie de jeu.
En franchissant la porte, Violet demanda à Paulina :
– Tu crois que Kelly changera d'avis ?
– Aucune idée, soupira son amie. Mais ce que je sais, c'est que si elle se décide, elle prendra du bon temps et montrera à tous ce dont elle est capable !

– Nous voilà ! claironna Tanja en **arrivant** au pas de course peu après, suivie d'Elly et d'Alicia. Je déclare ouverte la réunion de l'équipe des… des… Une minute, les filles : **comment nous appelons-nous ?**

Un grand silence envahit la salle : il avait fallu s'occuper de tant de choses que personne n'avait réfléchi au **NOM** de l'équipe !

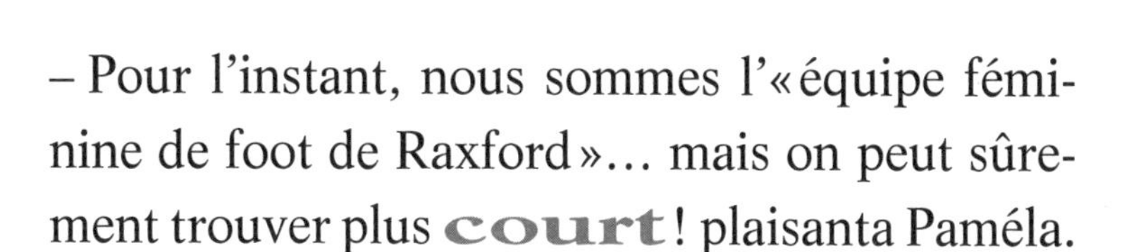

– Pour l'instant, nous sommes l'« équipe féminine de foot de Raxford »... mais on peut sûrement trouver plus court ! plaisanta Paméla.

– Réfléchissons... dit Colette. Nous sommes huit filles très différentes les unes des autres...

– Nous venons des quatre coins du monde et nos caractères sont eux aussi aux antipodes... renchérit Paulina.

– C'est vrai, reconnut Nicky. Mais une fois réunies, nous formons un ensemble harmonieux !

– Comme les couleurs de l'arc-en-ciel, conclut Violet.

– Bravo, Vivi ! s'exclama Colette. Ton image est la bonne : pourquoi ne pas nous appeler les Rainbow Girls, autrement dit les « Filles de l'arc-en-ciel » ?

– C'est un très beau nom ! se réjouit Nicky.

– Fantasouristique ! confirma Pam.

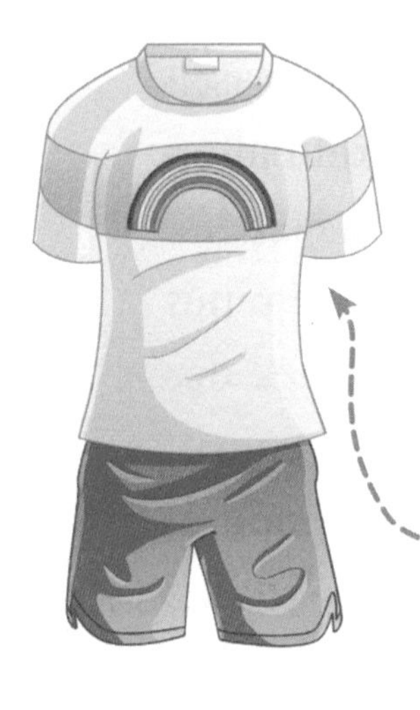

– Avec ça, il nous faudra une TENUE multicolore et gaie ! ajouta Elly.

– Je m'en charge ! annonça Colette. D'ailleurs, j'ai déjà une idée : nous pourrions porter des maillots reprenant les couleurs de l'arc-en-ciel, accompagnés de **shorts**...

– ... roses ! la précéda Tanja.

C'était en effet la couleur préférée de celle sans laquelle leur AVENTURE n'aurait pas vu le jour ! Une fois choisis le nom et la tenue de l'équipe, les huit jeunes filles se mirent à planifier leurs entraînements.

Alors même qu'elles établissaient le CALENDRIER de la semaine apparut, sur le pas de la porte, une étudiante dont nul n'aurait imaginé qu'elle puisse s'intéresser au foot.

– **Vanilla !** s'écria Paméla. Quelle surprise ! Nous ne savions pas que tu étais fan du ballon rond !
La jeune héritière de la famille de Vissen mit aussitôt les choses au clair :
– Si tu tiens à le savoir, je **déteste** courir, suer et me tacher avec de l'herbe !
– Alors, que fais-tu ici ? s'enquit Paméla, **perplexe**.
– Je suis venue parce que dans le collège on ne parle plus que de vous, du *tournoi* et de votre équipe de foot ! J'ai donc décidé de me joindre à vous !
– Bon… on peut te proposer la fonction de **REMPLAÇANTE**, suggéra Colette, comme ça, si l'une de nous se blesse…
– Tu veux rire ?! l'interrompit sèchement Vanilla. Mon rôle doit être bien plus… voyant ! J'ai l'intention de former un groupe de **POM-POM**

JE SERAI LA CAPITAINE DES POM-POM GIRLS !
QUOI ?!
TU ES SÛRE ?

GIRLS que je dirigerai ! N'est-ce pas une idée géniale ?!

– Mais... les équipes de foot ne sont jamais accompagnées de pom-pom girls ! fit valoir Paulina.

– Encore mieux ! rétorqua Vanilla, sur un ton qui n'admettait aucune objection. Notre groupe constituera une nouveauté absolue, qui défrayera la chronique. Nous attirerons l'attention de la presse, les journalistes tiendront à nous interviewer et une grande PHOTO de nous trônera en première page des journaux !

Sur ces mots, la jeune fille tourna les talons et quitta la réunion.

Les Rainbow Girls échangèrent des regards incrédules, puis éclatèrent d'un rire joyeux.

– Eh bien, que peut-on rêver de plus ? Nous

avons même des pom-pom girls qui chaufferont le public pour nous ! plaisanta Paméla.

LA CÉRÉMONIE D'OUVERTURE

Les jours précédant le début du tournoi passèrent à la vitesse d'un ballon ENVOYÉ dans les filets. Tous les après-midi, les huit filles se retrouvaient au stade de Raxford. Et, après un échauffement conduit par Nicky, elles s'entraînaient en disputant une PARTIE avec leurs amis.

Puis, après le dîner, elles se réunissaient dans la chambre de Colette et de Pam et confectionnaient leurs TENUES en laissant libre cours à leur imagination.

Enfin, le jour tant attendu arriva : celui de la cérémonie d'ouverture de la compétition !

Ce matin-là, Paulina descendit retrouver ses camarades dans la cour du collège.
– Oh oh… fit-elle dès qu'elle les vit. Nous avons été tellement prises par notre entraînement et la préparation de nos tenues que nous en avons oublié un détail : comment allons-nous nous rendre au stade ? Impossible de rater le lancement du tournoi !
– Pas de panique ! répliqua Paméla en souriant malicieusement. Toi, tu l'as oublié, mais pas Moi !
Sur ces mots, la jeune fille fila… et reparut au volant d'une camionnette dont le flanc arborait un magnifique arc-en-ciel !
– C'est le véhicule de livraison du Zanzibazar ! expliqua-t-elle en aidant ses amies à y charger leurs sacs de sport. Tamara me l'a prêté et m'a autorisée à le personnaliser, à condition que je le lui rende tel qu'il était à la fin du tournoi !

Les filles **serrèrent** Pam dans leurs bras, puis montèrent dans la camionnette, débordantes d'enthousiasme.

Lorsqu'elles parvinrent à **DESTINATION** et virent la foule de supporters venus sur l'île des Baleines pour encourager leur équipe, elles ressentirent une vive émotion…

Mais ce ne fut rien en comparaison du profond émoi qui s'empara d'elles quand elles

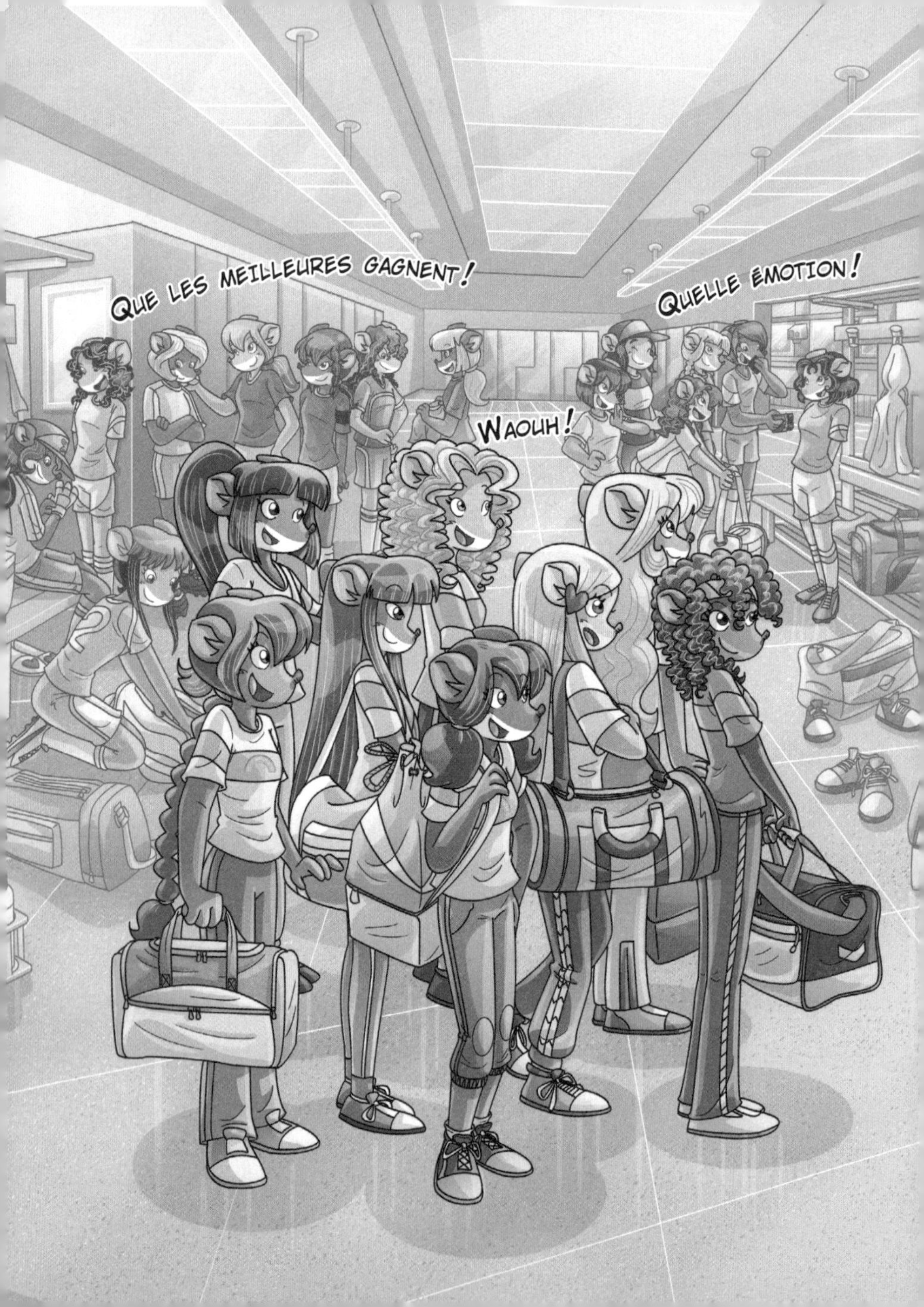
Que les meilleures gagnent !
Quelle émotion !
Waouh !

QUELLE FOULE !
QUI SONT-ELLES ?
MERCI !

pénétrèrent dans les vestiaires remplis de jeunes footballeuses !
Les Rainbow Girls y découvrirent des étudiantes d'autres collèges qu'elles connaissaient déjà, et bien d'autres qu'elles n'avaient jamais rencontrées.
– Qui sont ces filles ? demanda Paulina.
Tanja feuilleta le programme de la compétition et trouva le nom de l'équipe en question.
– Ah, voilà ! Ce sont les **Panthères**, du collège de Mamenrat. D'après ce que je lis, elles sont très fortes !
– Fortes, mais aussi *timides* : elles ne parlent à personne ! observa Paulina.
– Allons leur souhaiter la bienvenue, proposa Pam. Après tout, nous sommes l'équipe hôte !
Mais leurs bonnes intentions se heurtèrent immédiatement au regard de GLACE de l'une des Panthères…

– **SALUT, LES FILLES!** lança Pam tout sourire. En vous voyant seules dans votre coin, nous nous sommes dit…
Une rongeuse qui portait un brassard et devait être la **capitaine** de l'équipe l'interrompit net :
– Sache que nous peaufinons nos **TACTIQUES DE JEU**. Nous ne sommes pas

venues ici pour nous faire des amies, mais pour gagner !

– Mmmh... ce sont peut-être des CHAMPIONNES de foot, mais pas d'amabilité ! plaisanta Violet.

Au même moment, quelqu'un pointa le nez dans les vestiaires et rendit le sourire à toute l'équipe de Raxford.

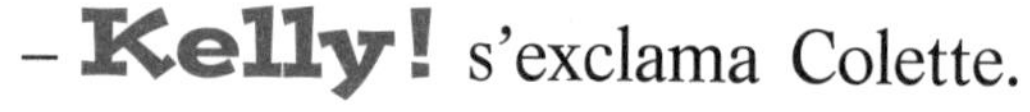

– Kelly ! s'exclama Colette. Je savais que tu changerais d'avis !

Sur ces mots, elle COURUT chercher son sac et en sortit un maillot et un short, qu'elle tendit à la nouvelle venue en annonçant :

– Voici ta TENUE !

– Non, non... murmura Kelly en rougissant. Je suis simplement

venue vous embrasser et vous dire que je suis dans les gradins avec les autres, prête à vous soutenir !
– Mais… je… nous… bredouilla Colette, déçue.
Elle n'eut pas le temps d'ajouter quoi que ce soit, car une voix résonna alors dans les haut-parleurs :

– LES ÉQUIPES SONT PRIÉES DE SE RENDRE SUR LE TERRAIN ! LA CÉRÉMONIE D'OUVERTURE DU TOURNOI VA COMMENCER !

Paulina prit Colette par la main et la tira vers le TUNNEL qui menait à la pelouse.
– Viens, Coco, allons-y, on nous attend !
– D'accord… répondit son amie en jetant un dernier coup d'œil à Kelly, qui repartait en sens inverse rejoindre le reste du public.

L'ÉPREUVE DU TERRAIN !

La cérémonie d'ouverture du tournoi remporta un vif succès, et le **soir** venu les Rainbow Girls allèrent se coucher tôt : le lendemain, la compétition commençait !

Pendant la nuit, Colette fit un rêve étrange. Elle était seule au milieu d'un immense stade **VIDE** et portait de **GIGANTESQUES GANTS** de gardien !

– Mais… il doit y avoir une erreur ! s'exclamait-elle. Je joue au centre, pas dans les buts…

FFFFFFFUIIIIIIIIIIIIIIIIIIIIIITTT

Un arbitre invisible lançait un coup de sifflet et devant Colette apparaissait une file interminable de joueuses, qui la mitraillaient de balles puissantes !
– NOOON ! criait la jeune fille en tentant inutilement de parer leurs tirs. ATTENDEZ ! JE NE SUIS PAS GOAL !
Alors même que le ballon approchait à grande vitesse de son visage, Colette se réveilla en sursaut !
– Tout va bien, Coco ? s'inquiéta Paméla depuis son lit.
Reprenant progressivement son souffle, son amie acquiesça.

– Oui, ce n'était qu'un cauchemar : j'étais gardienne de but et je n'arrivais pas à arrêter la moindre balle !
Paméla éclata de rire.
– Classique : tu es **INQUIÈTE** parce que demain nous disputons notre premier match !
– C'est vrai… reconnut Colette. La cérémonie d'ouverture était belle et amusante, mais l'idée de passer aux choses **SÉRIEUSES** m'effraye un peu…
– Ne t'en fais pas, Coco ! Tout se passera bien, tu verras ! la rassura Paméla. Et maintenant, repose-toi.
Le lendemain matin, une très **bonne** ambiance régnait dans le stade : les gradins regorgeaient de banderoles, réalisées par les étudiants de Raxford, et Vanilla dirigeait son étonnant groupe de POM-POM GIRLS !

Allez les Rainbow Girls !
Allez les Rainbow Girls !
Hourrah !

Annoncées par un chœur scandant

« DOUÉES, MIGNONNES
ET CO-LO-RÉES,
LES RAINBOW GIRLS
SONT A-RRI-VÉES ! »,

les Rainbow Girls gagnèrent la pelouse pour disputer leur première partie.
Mais, malgré l'enthousiasme général, le début ne fut guère concluant.
Face à l'attaque très habile lancée par les Libellules du collège de Yoshimune, toutes les tactiques étudiées par les Téa Sisters et leurs coéquipières au cours des jours précédents se révélèrent infructueuses.
Leurs redoutables adversaires excellaient à garder la BALLE. Et après avoir écarté Violet, Colette et Elly au centre, elles parvenaient

toujours à percer la ligne de défense tenue par Paulina, Alicia et Tanja, pour surgir devant les buts sans que Pam les y **attende** !
Alors que les Rainbow Girls regagnaient leur

vestiaire à la fin de la première mi-temps, Paulina s'exclama :

– Les filles, nous devons absolument nous ressaisir, sinon nous serons éliminées dès le premier tour !

– Ah non, pas déjà ! s'écria Colette en écarquillant les yeux. Nous n'avons pas encore réussi à faire jouer Kelly !

Violet se laissa tomber sur un banc.

– Je veux bien, mais le score est de 3 à 0 ! Remonter me semble tout bonnement impossible !

– **Rien n'est impossible !** fit alors une voix que le petit groupe connaissait bien.

– Ma... madame Ratcliff ?! bredouilla Pam en voyant entrer leur **professeur** de lettres. Que faites-vous ici ?

– Je suis venue voir jouer mes élèves ! répliqua l'enseignante.

– Jouer, mais pas GAGNER ! Enfin… merci quand même, murmura Nicky, profondément découragée.

Madame Ratcliff sourit, puis répondit :

– Oh, la victoire n'est pas ce qui m'intéresse le plus ! *Savez-vous ce que je voudrais ?*

Entendre résonner vos RIRES comme lorsqu'ils montent du terrain d'entraînement jusqu'à la salle des professeurs !

– Madame Ratcliff a raison ! intervint Paulina. Nous sommes si soucieuses du résultat que nous ne prenons aucun plaisir à disputer ce match !

– Bien dit ! approuva la professeure. Tâchez de vous amuser comme quand vous vous exercez : c'est comme ça qu'on joue le mieux !

Après cet encouragement, l'équipe de Raxford aborda la seconde Mi-TEMPS dans un tout autre esprit.

UNE NOUVELLE RAINBOW GIRL !

Ce jour-là, Kelly avait été la première à prendre place dans les gradins. Elle avait autour du cou une **écharpe** arc-en-ciel et dans son sac à dos une **BANDEROLE** de soutien aux Rainbow Girls.

La jeune fille avait encouragé son équipe à cor et à cri et suivi **fébrilement** le moindre de ses mouvements.

Quand l'arbitre avait sifflé la fin de la première mi-temps, elle s'était **ruée** vers les vestiaires pour parler aux Rainbow Girls, puis y avait timidement renoncé en voyant leur professeure entrer.

S'attardant en silence près de la porte, elle avait tout entendu du discours de l'enseignante. Et celui-ci avait continué à résonner en elle lorsqu'elle s'était rassise dans les tribunes. Lorsque enfin elle avait vu ses amies ragaillardies pulvériser le score adverse et gagner la partie, quelque chose avait changé au fond de son cœur.

Les paroles de madame Ratcliff lui avaient rappelé son enfance, dans son village du nord de l'Angleterre, les après-midi passés à jouer au foot sur le petit terrain proche de sa maison avec Steve et leurs camarades. Repensant à leurs éclats de rire, à leurs cavalcades sur l'herbe et à leurs cris de joie après la victoire, elle avait ressenti une profonde nostalgie.

Pourquoi n'était-elle plus aussi heureuse quand elle tapait dans un ballon ?
La PEUR de ne pas être aussi bonne que son frère avait-elle pris le pas sur le plaisir ?
Après avoir tourné ces questions dans sa tête, Kelly prit une décision : elle allait suivre

le conseil de madame Ratcliff et… rejoindre ses amies pour s'amuser avec elles !

Le lendemain, la jeune sportive se leva de très bonne heure et se rendit au stade où les Rainbow Girls s'entraînaient.

Apercevant sa silhouette au bord du terrain, Nicky demanda :

– Cette fille… ne serait-ce pas Kelly ?

– Si, c'est elle ! répondit Colette, la main en visière. EH, KELLY, que fais-tu ici ?

Celle-ci salua ses amies et, retrouvant sa gaieté d'antan, demanda avec un grand sourire :

– *JE PEUX JOUER AVEC VOUS ?*

Une surprise venue du passé

Kelly se serait facilement contentée du rôle de **REMPLAÇANTE** : pour elle, l'essentiel était de faire partie de l'équipe, de s'entraîner avec ses amies et de partager avec elles les émotions des matchs, même depuis un banc ! Mais Colette ne voulut pas en entendre parler.

– **Toi, remplaçante ? Il n'en est pas question !**

– Pourquoi pas ? Toutes celles qui pouvaient assurer cette fonction ont été reconverties en pom-pom girls par **Vanilla**, plaida Kelly.
– Toutes, sauf une… répliqua Colette. Moi !

Face aux REGARDS étonnés de ses amies, la jeune fille s'expliqua :
– Parlons franc : je ne suis pas notre meilleur élément… Et je préfère de très loin m'occuper de votre LOOK !
– Quoi ?! Tu veux suivre les prochaines parties depuis les gradins ?
– Pas depuis les gradins, mais depuis le banc des remplaçants ! répondit Colette. Et je continuerai à me préparer avec vous pour être prête à entrer sur le terrain si l'une de vous se trouvait en difficulté.
Aussitôt après avoir redéfini les contours de leur ÉQUIPE, les huit filles commencèrent leur entraînement. Avec Kelly dans le GROUPE, les Rainbow Girls se montrèrent plus unies et fringantes que jamais !
– Dis, Kelly, je peux te poser une question ? s'enquit Paméla. Qu'est-ce qui t'a fait changer

Elle est forte !
Allez, les filles !

d'avis ? Tu avais l'air si sûre de ne pas vouloir participer.

Kelly sourit et raconta à ses camarades comment l'intervention de madame Ratcliff l'avait conduite à se remettre en cause.

– Eh oui… soupira Violet. Elle a tenu un discours magnifique, qui nous a rappelé ce qui compte vraiment !

– Elle donnait l'impression de savoir ce que nous ressentions… comme si elle-même avait disputé des DIZAINES DE PARTIES ! observa Paulina.

Rien que d'imaginer leur brillante, sévère et exigeante enseignante de lettres tenter un TIR AU BUT… toutes éclatèrent de rire !!!

Cependant, l'idée que les paroles de leur professeure aient pu être inspirées par sa propre expérience continua à turlupiner Paulina.

Dès qu'elle fut de retour au collège, la jeune fille

disparut à la BIBLIOTHÈQUE, d'où elle ne ressortit qu'à l'heure du dîner… porteuse d'une grande nouvelle !

– VOUS N'ALLEZ JAMAIS LE CROIRE ! lança-t-elle en rejoignant les Téa Sisters et leurs amis à la cantine. Regardez ce que j'ai trouvé !

L'étudiante posa sur la table l'ALBUM

PHOTO d'une ancienne promotion de Raxford et commença à le feuilleter.

– Vous ne reconnaissez personne ? demanda-t-elle en indiquant un CLICHÉ immortalisant une équipe de jeunes footballeuses.

Debout au milieu, une GRANDE jeune fille se distinguait du reste du groupe. Son visage paraissait étrangement familier…

– Mais c'est madame Ratcliff ! s'exclama Colette.

– Gagné ! confirma Paulina, satisfaite. Je me suis livrée à une petite recherche, qui m'a appris que Raxford a déjà eu, dans le passé, une équipe

de foot féminine. Et notre enseignante était l'une de ses **attaquantes** !

– Elle parlait donc en connaissance de cause ! commenta Violet, encore incrédule.

– Oui, et je suis sûre qu'elle a encore bien des choses à nous *apprendre*... ajouta Paulina. Que diriez-vous de lui proposer de diriger notre **entraînement** ?

Sans un mot de plus, les neuf jeunes filles partirent en trombe vers la salle des professeurs.

– ***Vous entraîner ?!?*** s'étonna madame Ratcliff. Je ne suis pas sûre d'être la personne idéale...

– Au contraire ! insista Paulina. Vous nous aideriez mieux que personne !

– S'il vous plaît ! la pria Colette. Vous pourriez nous enseigner ce qu'est l'essence du jeu, comme vous nous apprenez ce qu'est l'esprit d'un *poème* ou d'un ***roman*** !

Pendant quelques secondes, qui parurent **INTERMINABLES**, l'enseignante fixa ses élèves sans rien dire, puis un grand sourire éclaira son visage et elle répondit :
– Bon… d'accord ! Il ne me reste plus qu'à me trouver un **SURVÊTEMENT** !

UN DRÔLE D'ENTRAÎNEMENT...

Le lendemain matin, le **réveil** sonna très tôt pour les Rainbow Girls.

Le soir précédent, madame Ratcliff les avait saluées en ces termes :

– Demain, pour notre premier jour d'entraînement, je veux que soyez prêtes à **HUIT HEURES PILE** ! Je compte sur vous !

Et les neuf jeunes filles étaient bien décidées à ne pas la décevoir !

Tout en **laçant** ses chaussures, Paulina demanda à Nicky :

– D'après toi, par quoi allons-nous commencer ?

– Je ne sais pas... Peut-être par des exercices de tir au but, répondit sa compagne de chambre

en finissant d'attacher ses **cheveux**.
Au même instant, son regard fut attiré par un mouvement près de la porte : quelqu'un venait de glisser un billet à l'intérieur de la chambre !
Toutes deux le lurent, puis se dévisagèrent : leur enseignante les invitait à se rendre dans la salle de biologie marine.
– QU'EST-CE QUE LE FOOT A À VOIR AVEC LES ORGANISMES MARINS ? s'étonna Paulina.
– Aucune idée ! répliqua Nicky en secouant la tête. Mais ce qui est sûr, c'est que si on y voit un filet, ce sera plutôt celui d'un pêcheur !

Et en effet, le programme de ce jour-là fut assez original...

– Bonjour, mesdemoiselles ! leur lança Ian Van Kraken, leur professeur de biologie marine. Madame Ratcliff et moi vous parlerons aujourd'hui des sardines et des DAUPHINS...

Les Rainbow Girls en restèrent bouche bée : quel était le rapport avec leur entraînement ?

Mais elles n'étaient pas au bout de leurs surprises : à la fin de la séance avec Ian Van Kraken, les Téa Sisters et leurs amies furent envoyées dans la salle de danse.
Là, mademoiselle Plié leur demanda d'enfiler leur **justaucorps** et les fit travailler à la barre, avant de leur faire exécuter des enchaînements de GYMNASTIQUE.
Pour finir, les neuf étudiantes durent gagner la salle d'**histoire du journalisme**, où le

professeur Delétincelle leur présenta les plus grands matchs de l'épopée du football.
Et ce ne fut qu'après que les jeunes filles furent autorisées à se rendre au stade.
Là, elles retrouvèrent madame Ratcliff, qui, pour l'occasion, avait revêtu une tenue de sport.
– Bienvenue, mes chères demoiselles ! Comment s'est passée votre matinée ?
Ses élèves échangèrent un regard gêné. Puis, au bout d'un moment, Nicky prit son courage à deux mains et exprima ce que toutes pensaient :
– Bien... très bien ! Nous avons appris un tas de choses. Mais... nous ne sommes pas sûres de bien comprendre... À quoi vont nous servir ces séances de biologie, de danse et de journalisme ? Notre préoccupation immédiate, c'est le foot !
L'enseignante contempla l'équipe et sourit.
– Quand je pratiquais ce sport, j'ai compris que

HÉ HÉ !
NOUS NE COMPRENONS PAS...

pour former une bonne équipe il ne suffit pas de savoir marquer des buts. Il faut aussi disposer de certaines **connaissances** sans rapport apparent avec le ballon rond… Faites-moi confiance : tout ce que vous avez assimilé vous sera utile !

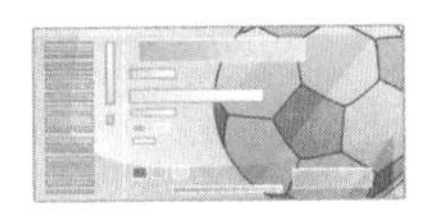

À LA VEILLE DE LA FINALE !

Et la professeure avait raison : quand les Rainbow Girls entrèrent dans le vif de la compétition, elles purent constater combien cet étrange enseignement leur était profitable !
En se SERRANT comme des sardines, les joueuses en défense formèrent une barrière qu'aucune manœuvre adverse ne parvint à percer.
En slalomant rapidement comme des dauphins, les attaquantes exploitèrent au mieux toutes les occasions de contre-pied et marquèrent des **buts spectaculaires** !
Et que dire du profit que les Rainbow Girls tirèrent de leurs leçons de danse !

Les exercices pratiqués avec mademoiselle Plié leur conférèrent un **ÉQUILIBRE** et une coordination enviables, qui leur permirent de s'en sortir dans les moments où le jeu s'accélérait. Enfin, même l'étude des **PLUS CÉLÈBRES ACTIONS** de l'histoire du football leur fut utile : elle leur donna des idées pour résoudre des situations nécessitant une **TACTIQUE ORIGINALE** !

Mais leur atout le plus précieux demeurait madame Ratcliff : avant chaque match, sa détermination et ses encouragements insufflaient une incroyable énergie à toute l'équipe !

Grâce à cet entraînement très particulier et à leur implication, les Rainbow Girls gagnèrent une partie après l'autre et se qualifièrent pour la **finale** du tournoi !

Juste avant le dernier entraînement, la professeure rassembla son **ÉQUIPE**.

La rapidité du dauphin !

La coordination d'une danseuse !

Oui !
Amusons-nous !
Hourra !

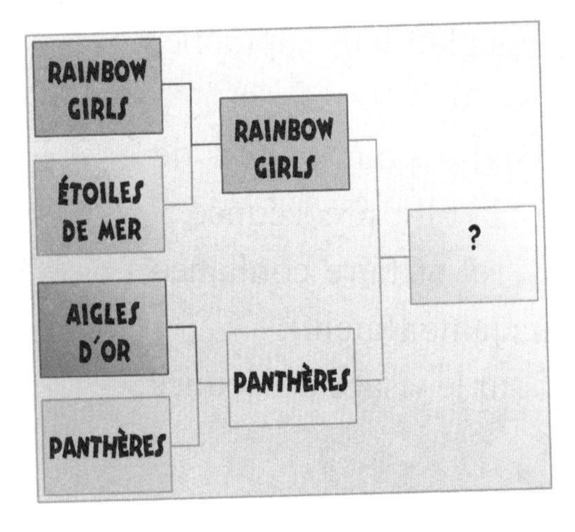

– Vous avez bien mérité votre sélection en finale, mais sachez que cette partie sera la plus difficile de toutes !

– Surtout que nous jouerons contre les **PANTHÈRES**... marmonna Paméla. Nous les avons croisées à la cérémonie d'ouverture et elles ne sont pas très **aimables** !

– Le problème sera moins leur caractère que leur vilain penchant pour les **fautes** ! répliqua l'enseignante en éteignant la lumière et en allumant la télévision.

Les neuf filles regardèrent les vidéos réalisées au cours du tournoi et découvrirent les INNOMBRABLES IRRÉGULARITÉS commises par les Panthères, en particulier leur capitaine, Stefy Cole.

– Et que pouvons-nous faire pour **PARER** de telles infractions ? demanda Elly, préoccupée.

– Garder les **YEUX** ouverts et faire confiance aux arbitres, répondit madame Ratcliff.

Puis, lisant l'**INQUIÉTUDE** sur le visage des jeunes filles, elle ajouta :

– Mais surtout, gardez en tête notre **DEVISE**… qui est…

Répondant à son appel, les Téa Sisters et leurs amies retrouvèrent leur gaieté coutumière et lancèrent en chœur :

– S'amuser !

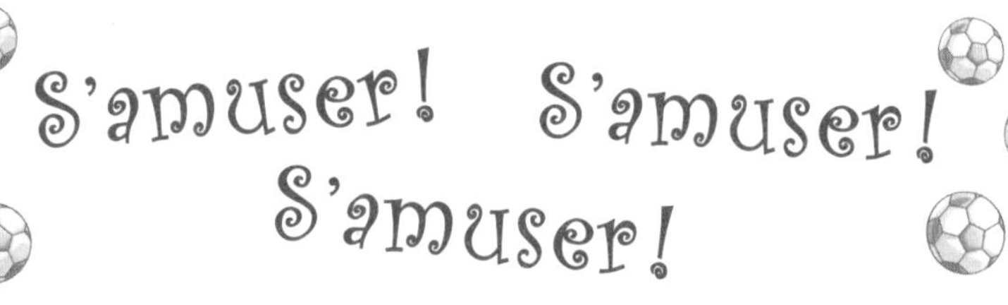

UNE TACTIQUE DÉLOYALE

Colette entra en trombe dans les vestiaires en claironnant :

– J'ai une chose importante à vous dire !

Les Rainbow Girls venaient de finir leur **entraînement** et rangeaient l'équipement.

– D'abord bravo ! poursuivit la jeune fille. Vous avez donné le meilleur de vous-mêmes ! Et pendant que vous vous démeniez sur le **terrain**, moi, je me suis activée sur ma **machine à coudre**...

Sur ces mots, Colette s'approcha de son casier

et en retira **HUIT PETITS SACS** fermés par des rubans, qu'elle distribua à ses amies.
– OH, COCO, C'EST SPLENDIDE ! s'exclama Violet en admirant ce qu'elle avait sorti de son sac. Cette nouvelle tenue est magnifique !
– Nous sommes en finale, les filles : à occasion spéciale, tenue spéciale ! répliqua Colette en souriant de plaisir.

Après avoir ouvert ce cadeau inattendu, les championnes en herbe repartirent vers le collège. Toutes sauf… Kelly.
À chaque veille de MATCH, la jeune Anglaise aimait passer quelques minutes à ranger l'intérieur de son CASIER. Ce petit rituel la détendait et l'aidait à se concentrer avant la compétition.
En quittant les vestiaires, elle entendit une voix inconnue l'interpeler :
– C'est toi, Kelly Hill ?
Celle-ci se retourna et reconnut Stefy Cole, la capitaine des Panthères.

?! QUE FAISAIT-ELLE ENCORE LÀ ?!

Kelly ne pouvait pas le savoir, mais cette rencontre n'était pas le fruit du hasard.

Stefy avait appris que la jeune fille avait mis un certain temps avant d'accepter de participer au *tournoi*, pour l'incroyable raison qu'elle se *sous-estimait*.

Or pour Stefy, **fragiliser** les personnes les plus sensibles était devenu une spécialité. Et ce jour-là, elle décida de se surpasser…

Son intention était d'exploiter le point faible de

Kelly pour briser l'harmonie des Rainbow Girls et les mettre en difficulté.
Dévisageant son adversaire de la tête aux pieds, Stefy lui demanda d'un ton narquois :
– C'est bien vrai que tu es la sœur de Steve Hill ?
– Oui, et alors ? répondit Kelly, sur la défensive.
– Rien… répliqua sa rivale en haussant les épaules. Certes, si on ne me l'avait pas appris, je ne l'aurais pas deviné. Désolée de te le dire, mais je t'ai vue jouer et tu n'as pas un dixième du TALENT de ton frère !
Accusant le coup, Kelly rougit et bredouilla :
– Je… je…
– Bah, ce n'est pas si grave, reprit Stefy avec un sourire cruel. Tes amies sont assez compréhensives pour te laisser jouer, même si tu n'es qu'un **FARDEAU** !
Après lui avoir porté l'estocade, la capitaine des

Panthères s'éloigna, satisfaite d'avoir désta-bilisé le meilleur élément de l'équipe adverse. Car affaiblir le meilleur élément, c'était affaiblir toute l'équipe !

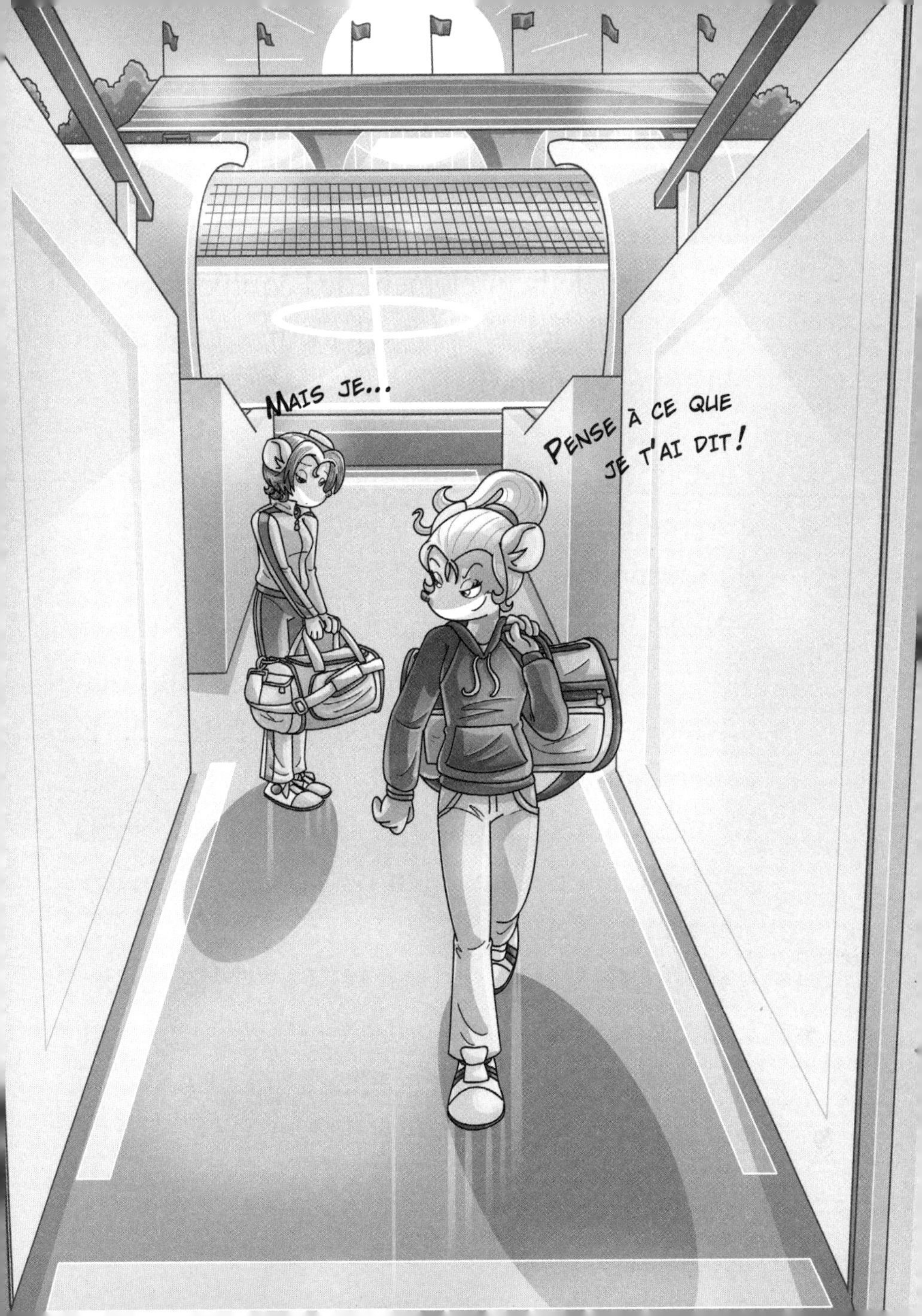
Mais je...
Pense à ce que je t'ai dit !

UNE ABSENCE SUSPECTE

La cour du collège fourmillait d'étudiants prêts à se rendre au stade pour le tout dernier match du tournoi.

– Nicky ! appela madame Ratcliff.

– Présente ! répliqua la jeune fille en glissant son sac de sport dans le coffre de la camionnette.

L'enseignante continua à faire l'appel, mais parvenue au dernier nom de sa liste, elle n'obtint aucune réponse.

– **QUELQU'UN A VU KELLY ?** demanda-t-elle, perplexe.

– Non, dit Colette. Et maintenant que j'y pense, je ne l'ai pas croisée au petit déjeuner, ce matin.

Aucune idée !
Où est Kelly ?

Elle doit déjà être sur le terrain, en train de s'exercer au penalty. Vous savez à quel point elle tient à exécuter des tirs parfaits !
– Oui, c'est certainement ça ! acquiesça la professeure, rassurée. Eh bien, dépêchons-nous de la rejoindre !

Mais au **STADE**, pas la moindre trace de la jeune fille !

Paulina essaya de la contacter sur son PORTABLE.

– Rien : elle ne décroche pas.

– Bizarre… commenta Violet. Ça ne lui ressemble pas de laisser l'équipe en PLAN sans prévenir !

Au même instant, un jeune homme à l'air sympathique s'approcha du groupe de filles. Il tenait un magnifique bouquet de marguerites.

– Êtes-vous bien les Rainbow Girls ? Je suis Steve, le frère de Kelly !

Le nouveau venu raconta qu'il avait suivi la compétition sur le site Internet de Raxford et s'était libéré de tous ses engagements pour assister à la finale.

– Kelly a été fabuleuse ! Pour rien au monde je n'aurais raté ce match !

– ***Oh, c'est merveilleux...*** Le seul souci, c'est que... ta sœur n'est pas encore arrivée et que nous ignorons où elle est, répliqua Violet avec un filet de voix.

– Mesdemoiselles, les nouvelles ne sont pas bonnes, intervint madame Ratcliff, qui revenait après avoir parlé à un rongeur muni d'un sifflet. L'**arbitre** vous demande de vous rendre sur le terrain, faute de quoi vous serez disqualifiées pour abandon ! Colette, tu es d'accord pour jouer ?

Colette hocha la tête lentement.

Au même moment, les **PANTHÈRES** sortirent de leur vestiaire et défilèrent près de l'équipe de Raxford.

– Tu as vu, leur MEILLEURE JOUEUSE n'est pas venue ! lança Stefy à l'une de ses **coéquipières**. Elle doit être en train de pleurnicher sur son sort, parce qu'elle ne

soutient pas la comparaison avec son grand frère !
Paméla regarda leur ADVERSAIRE s'éloigner en riant, puis demanda à ses amies :
– Vous avez entendu ?
– Oui, et ça ne me dit rien qui vaille ! Il a dû se passer quelque chose : tâchons de retrouver Kelly !
– D'accord ! trancha leur enseignante. Partez à sa recherche, moi, je me charge de l'arbitre.
– Vous pensez que madame Ratcliff réussira à le convaincre de nous attendre ? s'enquit Elly en montant dans la CAMIONNETTE.
– À mon avis, oui ! Il lui suffira de le regarder comme elle nous regarde quand on ARRIVE en retard à son cours et le tour sera joué ! s'égaya Paméla en tournant la clé de contact.

UNE CHAMPIONNE-NÉE

– Excusez-moi, lança Steve après être monté dans la camionnette des Rainbow Girls, pourriez-vous me dire ce qui se passe ?
Quand les Téa Sisters et leurs coéquipières s'étaient ruées hors des vestiaires pour chercher Kelly, le jeune homme les avait suivies sans poser de questions. Mais à présent, il voulait comprendre !
– Je croyais que ma sœur prenait plaisir à jouer ! D'après vous… pourquoi ne s'est-elle pas présentée ?
Les Téa Sisters se regardèrent rapidement, puis Colette livra au jeune homme un résumé des dernières semaines, en soulignant combien

elles avaient eu de mal à convaincre Kelly d'entrer dans l'équipe.

– Mais enfin, comment peut-elle douter de son talent ?! murmura Steve, **INCRÉDULE**.

– Elle est convaincue de ne pas t'arriver à la cheville, précisa Paulina. Elle prétend que toi, tu es un vrai champion, alors qu'elle-même n'est qu'une DILETTANTE... Et je ne

sais pas comment Stefy s'y est prise, mais elle a dû finir de la DÉSTABILISER !
Arrivé à Raxford, le petit groupe passa le collège au peigne fin sans trouver la moindre TRACE de la jeune Anglaise.
– Et maintenant ? s'enquit Steve, désemparé. Y a-t-il d'autres endroits où chercher ?
– J'ai peut-être une idée ! s'exclama Nicky. Pam, tu veux bien nous conduire à la plage ?
Et l'intuition de Nicky se révéla juste !
Une fois sur place, les Rainbow Girls et Steve découvrirent la jeune fille assise face à la mer, le regard TRISTEMENT fixé sur l'horizon.
– Après toi, Steve ! dit Colette. C'est d'abord toi qu'elle a besoin d'entendre !
Steve lui sourit avec reconnaissance, puis rejoignit Kelly.
– HÉ, PETITE SŒUR !
Celle-ci sursauta.

– Steve? Que fais-tu ici? Et pourquoi ces fleurs?

– Elle sont pour la footballeuse la plus formidable que je connais !

Les yeux baissés, Kelly CHUCHOTA :

– Pas pour moi, donc…

– Kelly, insista le jeune homme, je sais que ce n'est pas facile de grandir avec un frère comme moi…

– Ne plaisante pas avec ça ! protesta-t-elle. Tu es le meilleur frère dont on puisse rêver !

– Merci, mais avoir un **sportif professionnel** dans sa famille n'est pas un cadeau. Ça veut dire entendre parler sans arrêt de ses prouesses, de ses clubs et de ses victoires ! objecta son frère en souriant. Pendant toutes ces années, tu m'as voué une telle admiration que tu ne t'es pas aperçue de ce que tu valais !

KELLY, ÉCOUTE-MOI !

Kelly regarda Steve avec des yeux pleins de **larmes**.

– Mais… je…

– Ces derniers jours, même si j'étais loin, j'ai suivi le tournoi, lui révéla son frère. Et tu as prouvé à tous une chose qui pour moi est une évidence : tu es une CHAMPIONNE-née !

– Tu… tu le penses vraiment ? bredouilla la jeune fille.

– Il faut croire, puisque j'ai convié à la finale le recruteur d'une importante ÉQUIPE PROFESSIONNELLE : il te regardera jouer et jugera si tu peux être sélectionnée pour la prochaine saison.

– *Merci, Steve !* s'écria Kelly en se jetant à son cou.

Mais aussitôt après, son visage s'assombrit.

– Et mes **amies**… ? Elles ne voudront sûrement plus de moi après ce que je leur ai fait.

– À ta place, je n'en serais pas aussi sûr…
Et Steve lui indiqua l'équipe MULTI-COLORE, restée près de la camionnette, qui applaudissait et leur faisait signe de se dépêcher !

CARTON ROUGE !

Comme les Rainbow Girls l'avaient espéré, leur professeure avait réussi à convaincre l'arbitre de les attendre. Tandis que l'ÉQUIPE se pressait autour d'elle, à quelques minutes du coup d'envoi, l'enseignante déclara :

– Mesdemoiselles, tout au long de ce tournoi, vous avez fait preuve de **passion** et de loyauté. Peu importe l'issue de ce match : je suis d'ores et déjà on ne peut plus fière de vous !
Les Téa Sisters et leurs coéquipières applaudirent avec émotion et, après avoir crié à plein poumons leur DEVISE, elles se préparèrent à jouer la partie la plus importante de la compétition !
Misant sur l'AGRESSIVITÉ, les Panthères saisirent la moindre occasion de commettre une irrégularité.
Mais avec Kelly au mieux de sa forme, les Rainbow Girls, qui semblaient INATTAQUABLES, parvinrent à créer d'innombrables opportunités d'envoyer le ballon dans les filets et donnèrent bien du fil à retordre à leurs adversaires.
– Paulina, Alicia, Tanja, ***ATTENTION*** ! hurla Paméla en voyant Stefy approcher des buts d'un air décidé.

Les trois jeunes filles qui jouaient en défense se serrèrent immédiatement devant leur amie pour empêcher l'attaquante des Panthères d'avancer et de marquer. Et juste au moment où Stefy s'apprêtait à tirer, Kelly s'empara du ballon. Vexée, son ADVERSAIRE essaya de le récupérer en amorçant une GLISSADE pour tacler la jeune fille. Mais au lieu de toucher Kelly, le pied tendu de Stefy heurta Paméla, sortie des buts. Aussitôt, l'arbitre brandit un carton rouge.

– Faute ! Stefy Cole, expulsée !

Au même moment, les Rainbow Girls **ALARMÉES** se précipitèrent auprès de Paméla.

– Ça va ? Tu es blessée ?

Leur amie grimaça en plissant les yeux.

– Rien de grave, rassurez-vous… leur répondit-elle. Mais ma CHEVILLE me fait trop mal pour que je puisse continuer.

Attention, Pam !

– Coco, c'est à toi ! Tu dois la remplacer ! lança Violet.

– **MOI ?!** s'affola Colette. Mais rappelez-vous : comme gardien, je suis une vraie calamité ! Avec moi, vous êtes sûres de perdre !

– Mais non, tu seras épatante ! l'encouragea Nicky. Et puis, gagner ou perdre, quelle importance ?

– **HEP, VOUS !** intervint Vanilla en rejoignant ses camarades. Vous ne cherchiez pas une

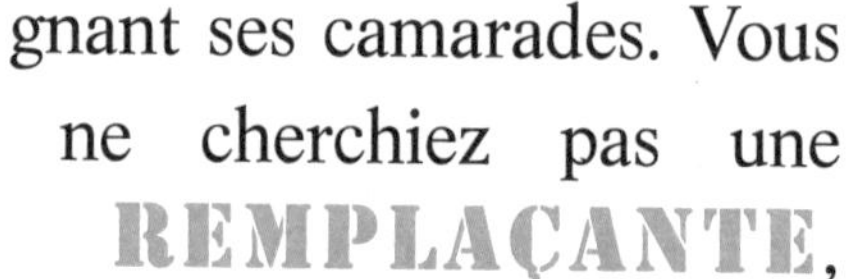

, l'autre jour ? Eh bien, me voilà : c'est moi qui vais prendre la place de Paméla !

Les Rainbow Girls la dévisagèrent, stupéfaites.

– Tu veux être notre GOAL ?!? s'exclama Violet, incrédule.

– En retournant aux vestiaires, cette peste de Stefy est passée à côté de nous, et savez-vous ce qu'elle a dit ? s'échauffa Vanilla. Elle a prétendu que nous autres, POM-POM GIRLS, n'étions bonnes qu'à sautiller, alors que les Panthères étaient de vraies athlètes !

– Je comprends, répliqua Colette, mais n'as-tu pas dit que tu détestais le **foot** ?

– J'ai dit que je n'aimais pas courir, suer et me tacher avec de l'herbe, mais pas que je ne savais pas jouer ! rétorqua Vanilla, **exaspérée**. Alors, vous me passez une **TENUE**, oui ou non ?

Et c'est ainsi que les Rainbow Girls retournèrent sur le terrain avec un **effectif recomposé** d'une manière que nul n'aurait imaginée !

Buuut !

L'entrée en lice de Vanilla se révéla décisive : la jeune fille était une excellente gardienne et ses REGARDS NOIRS intimidaient jusqu'aux Panthères les plus belliqueuses !

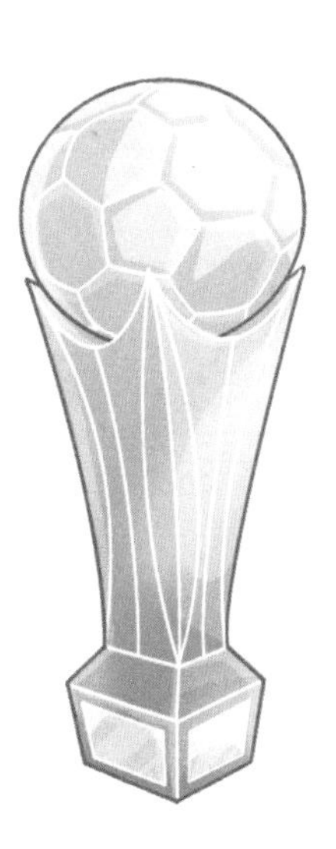

Quand la seconde mi-temps se termina par un score à égalité, tous comprirent que le résultat final dépendrait de la séance de tirs au but.

Après une erreur de leurs adversaires, il ne manqua bientôt plus qu'un but aux Rainbow Girls pour remporter la finale.

Kelly posa le BALLON sur le point de réparation et se prépara à tirer.

Elle ferma les yeux un instant, puis les tourna tout d'abord vers ses coéquipières, ensuite vers les gradins, où son frère lui souriait fièrement. Enfin, l'arbitre SIFFLA.

Victoire ou pas, cette compétition et ses nouvelles amies avaient appris à Kelly que la peur ne doit pas étouffer la passion. Et elle savait à présent que le football était son avenir.

La jeune fille prit alors son ÉLAN et tapa dans le ballon avec la même joie que jadis, quand elle jouait au foot avec son frère Steve sur un modeste terrain du nord de l'Angleterre.

Et elle marqua le but gagnant !

Les Rainbow Girls accoururent pour la serrer dans leurs bras et la **FÉLICITER**.

– Désormais, tu ne pourras plus nier l'immensité de ton talent ! la taquina Pam.

Émue aux larmes, Kelly put tout juste répondre :

– **Merci, les filles !** Tout cela, c'est à vous que je le dois !

Les dix coéquipières se regardèrent dans les yeux et s'écrièrent :

Ouaiiis !
Joli but !

VIVE LES RAINBOW GIRLS !
BRAVO, LES FILLES !

TABLE DES MATIÈRES

DANS LA MÊME COLLECTION

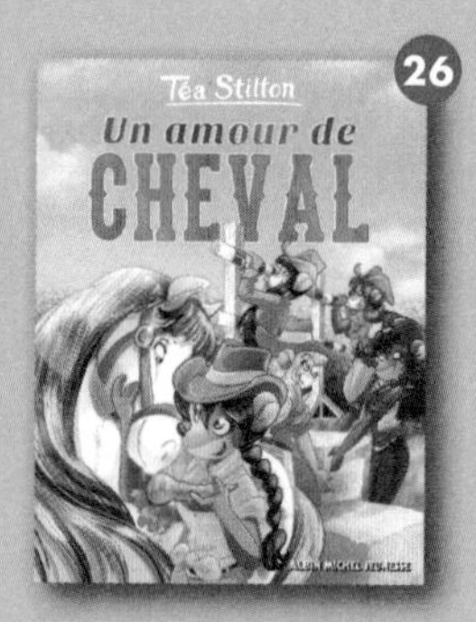

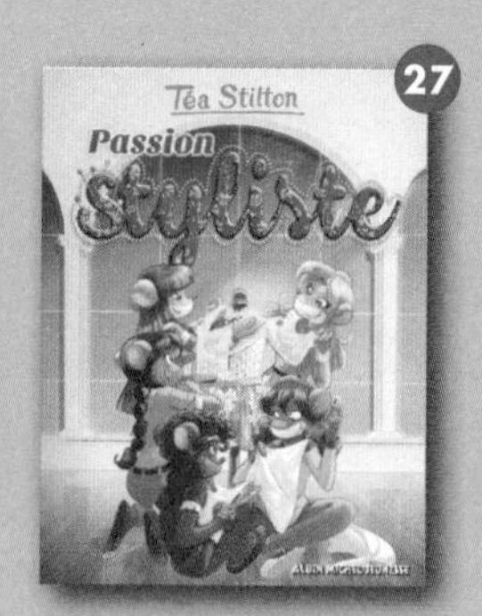

- 1 Téa Sisters contre Vanilla Girls
- 2 Le Journal intime de Colette
- 3 Vent de panique à Raxford
- 4 Les Reines de la danse
- 5 Un projet top secret !
- 6 Cinq Amies pour un spectacle
- 7 Rock à Raxford !
- 8 L'Invitée mystérieuse
- 9 Une lettre d'amour bien mystérieuse
- 10 Une princesse sur la glace
- 11 Deux Stars au collège

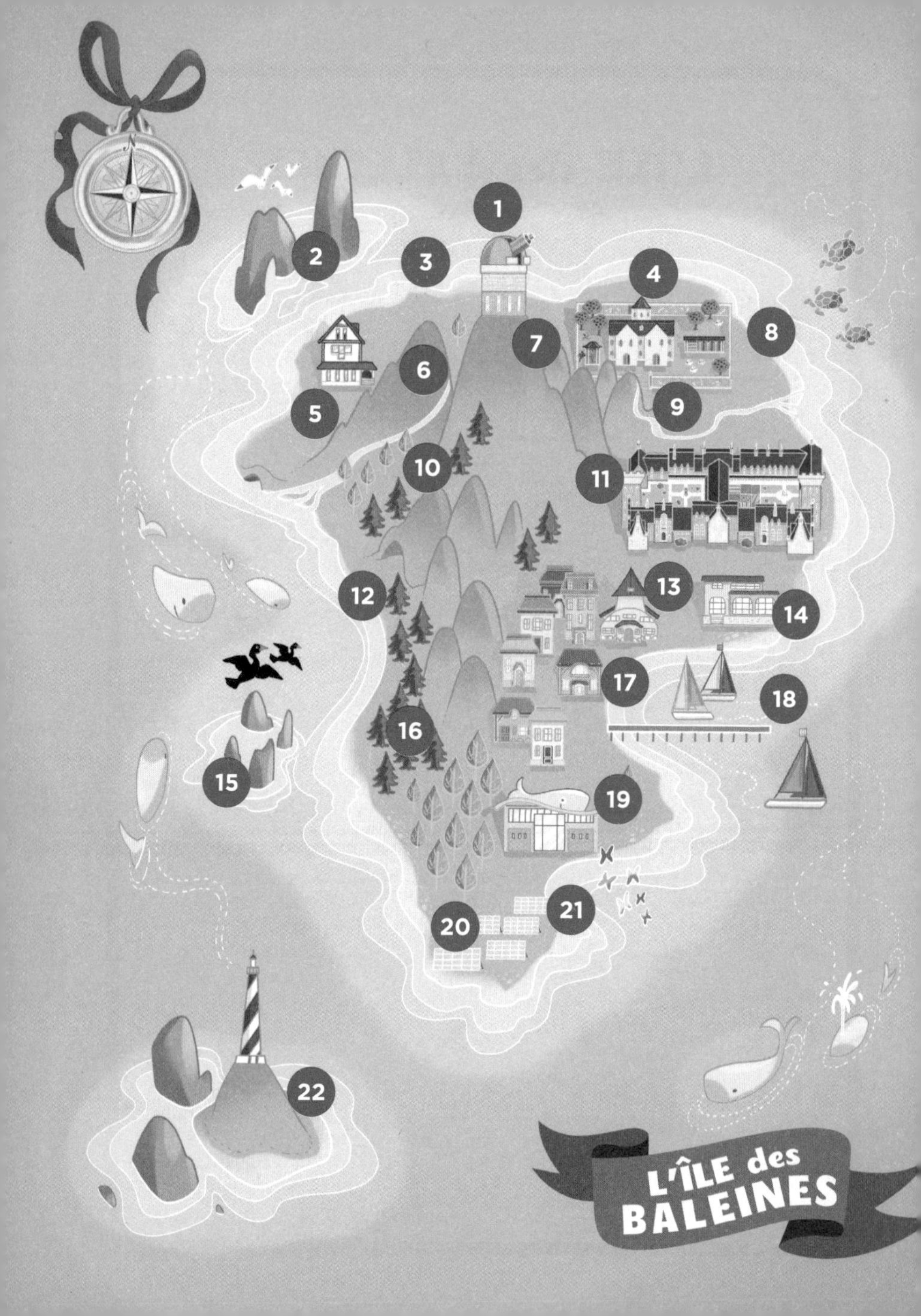
1
2
3
4
5
6
7
8
9
10
11
12
13
14
15
16
17
18
19
20
21
22
L'ÎLE des
BALEINES

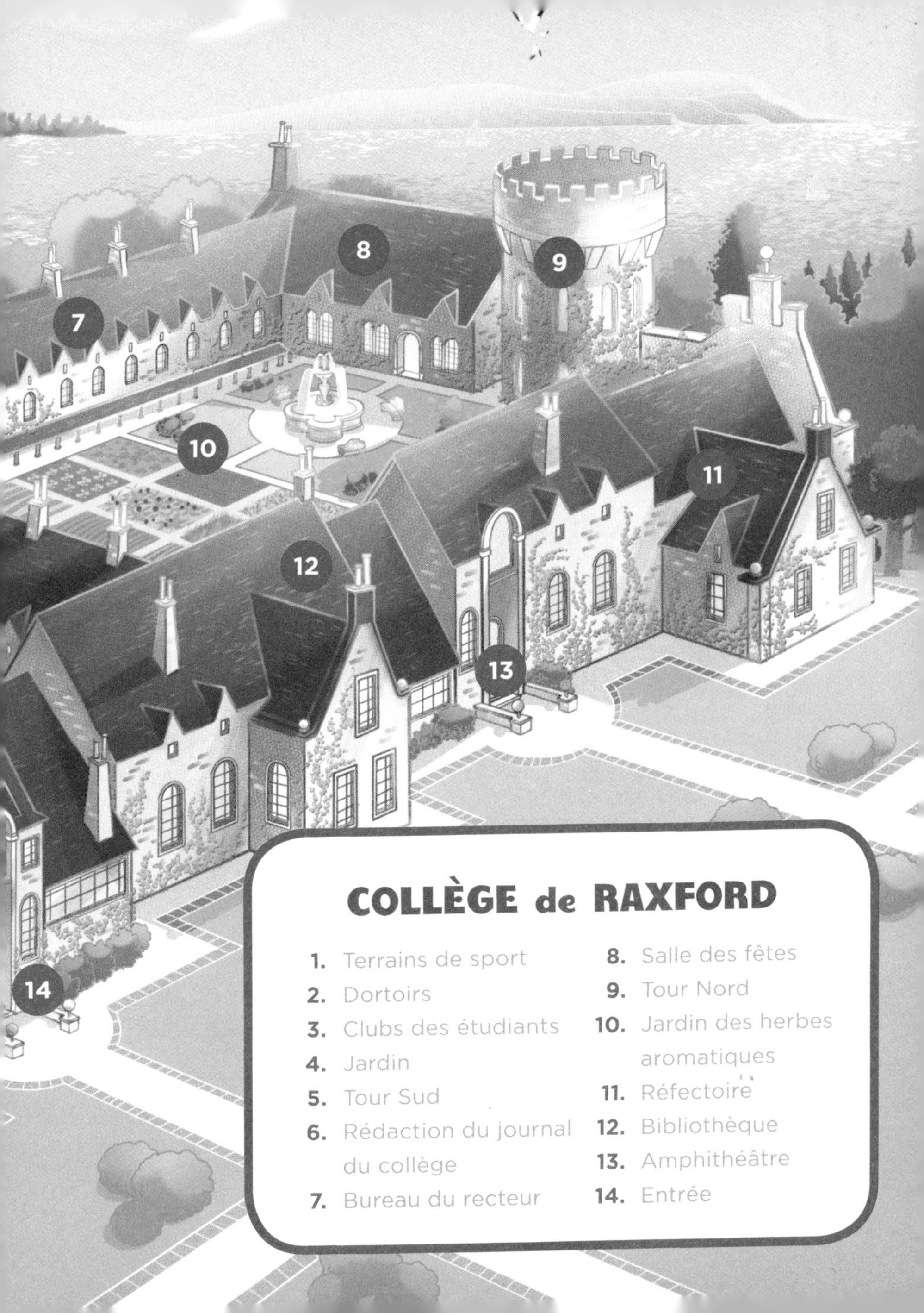
8
9
7
10
11
12
13
14
COLLÈGE de RAXFORD
1. Terrains de sport
2. Dortoirs
3. Clubs des étudiants
4. Jardin
5. Tour Sud
6. Rédaction du journal du collège
7. Bureau du recteur
8. Salle des fêtes
9. Tour Nord
10. Jardin des herbes aromatiques
11. Réfectoire
12. Bibliothèque
13. Amphithéâtre
14. Entrée

Au revoir, à la prochaine aventure !